AR AN MBÓTHAR
le Mavis agus Marge

NIAMH SHARKEY

Gabriel Rosenstock a d'aistrigh

WALKER ÉIREANN

FEIRM
BHAILE

Níorbh ionann **Mavis**
agus na ba eile. Bhí sí
an-eachtrúil.

Maidir le **Marge**,
bhí sí níos cliste ná
na sicíní eile.
Theastaigh uaithi
áiteanna a fheiceáil
nach bhfaca sicín
ar bith go
dtí seo.

Bhí a fhios acu
go raibh domhan mór
amuigh ansin
ag fanacht leo.
Ullamh?
Buail
an
bóthar!

Mar sin, thóg siad an rothar amach as an scioból, d'fhág siad slán ag a gcairde go léir agus as go brách leo.

An bealach seo!

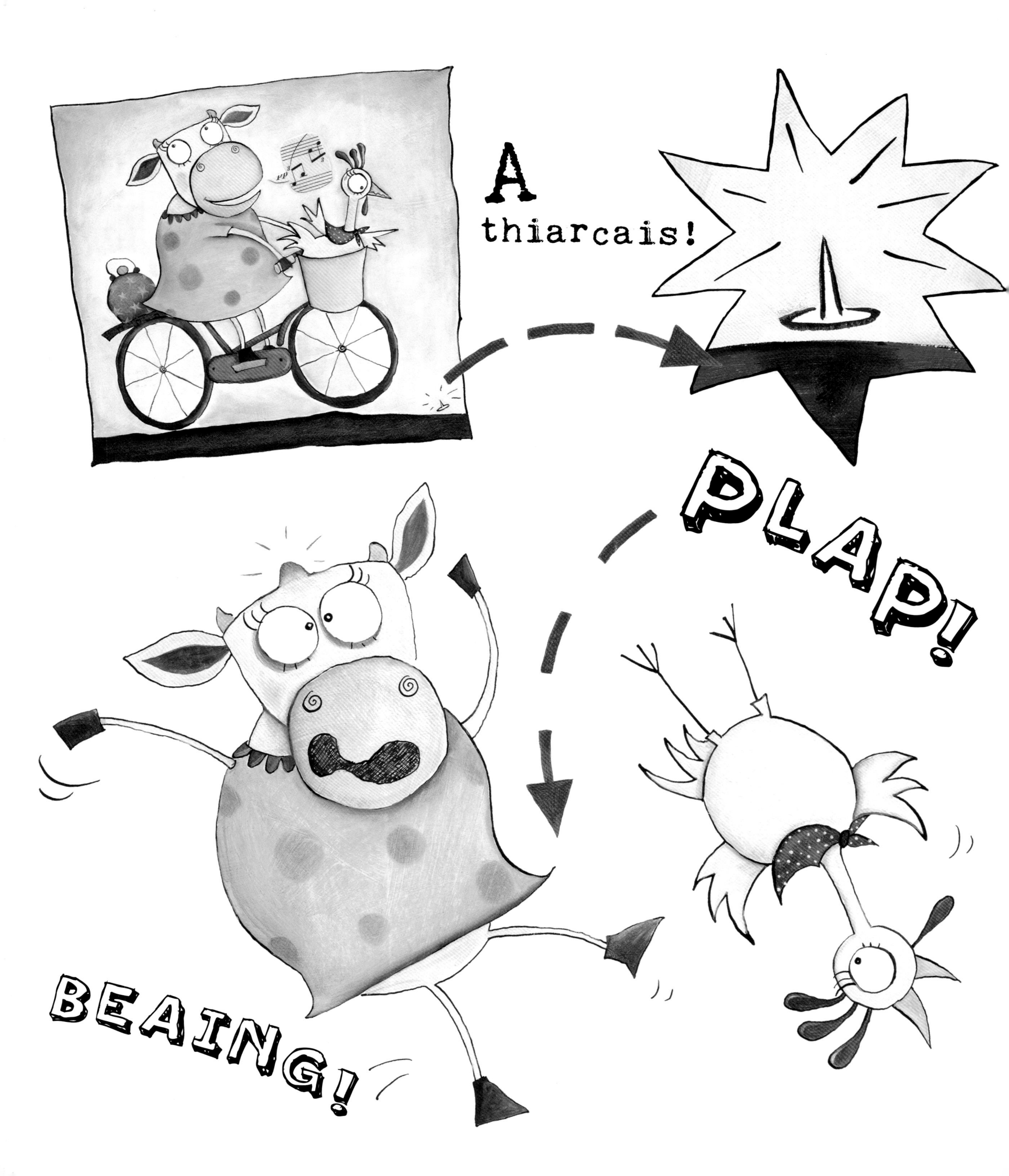
A thiarcais!
PLAP!
BEAING!

Bonn pollta!

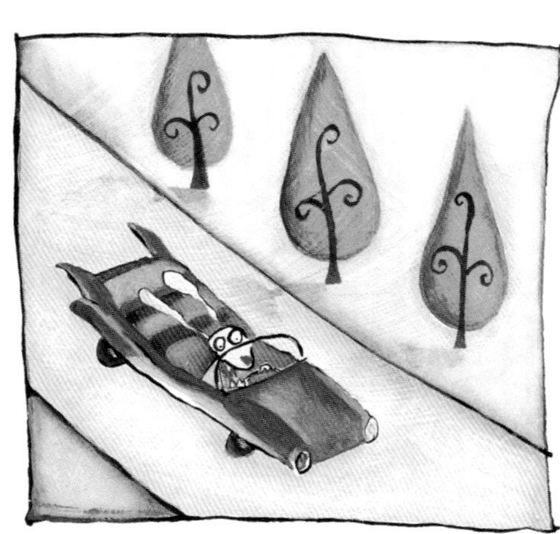

Nach maith gur bhuail siad le Cóilín agus é amuigh ag tiomáint.

Seo linn le chéile!
I gCéin
Feirm Bhaile

In aghaidh an chnoic ...

le fána ...

thiomáin siad trí locháin.

Chuir siad droichid díobh ...

tríd an bhforaois leo ...

an bealach ar fad go dtí an t-aigéan.

A thiarcais!

BÚM!

Bhí an t-ádh leo! Ar bháidín Fheilimí a thuirling siad!

Seo linn!
An Pol Theas

Cnoc oighir!

Nach maith
gur bhuail
siad le
Cormac.

Seo linn go léir go dtí an ghealach.
72

Ullamh?
Réidh?

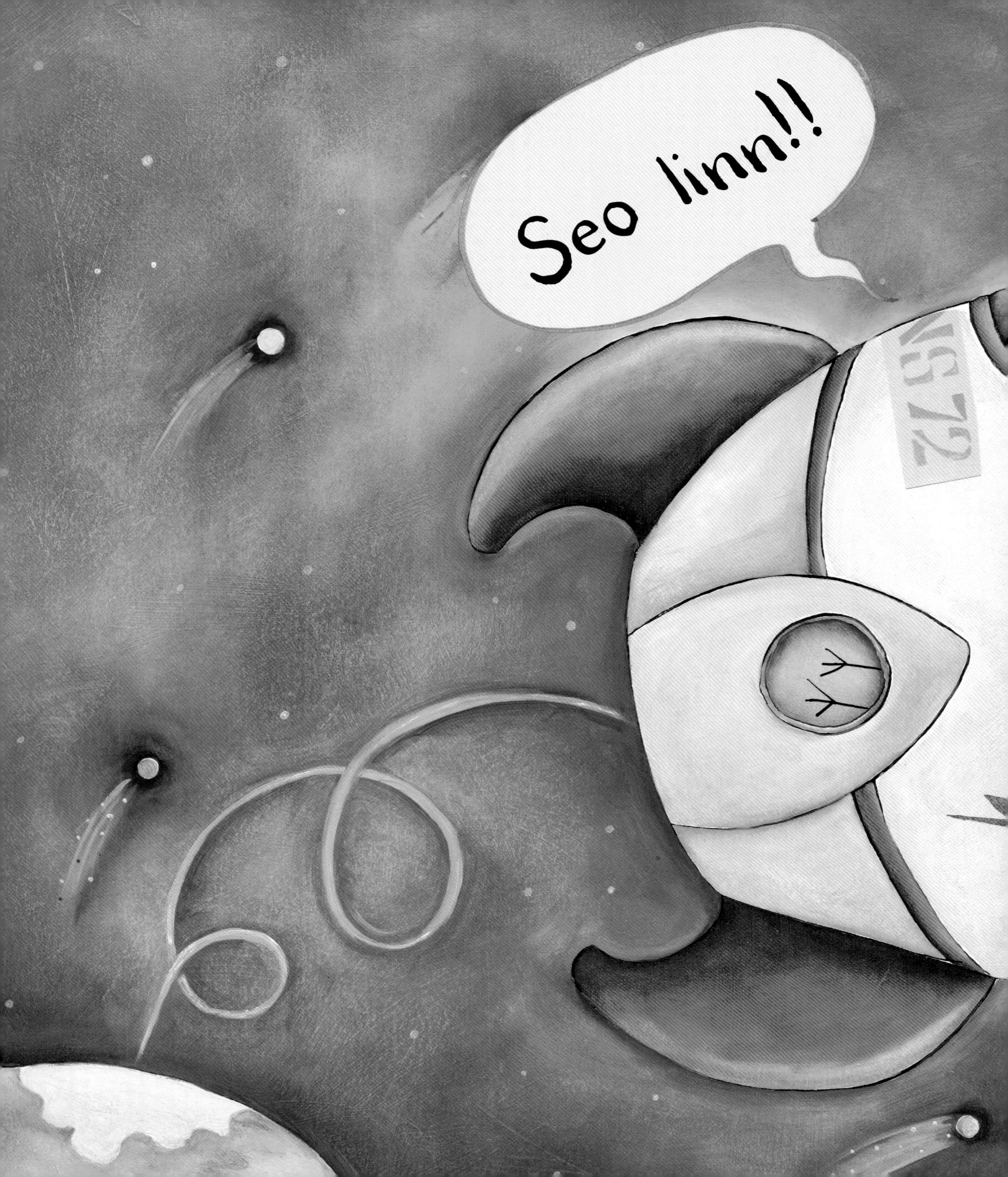
Seo linn!!

FUÍÍÍÍÍÍÍ!

Go dtí an ghealach!

GO DEIMHIN!
Thuirling siad
ar an ngealach.

Mavis agus Marge, Cóilín, Feilimí agus Cormac, thaitin an ghealach go mór leo.

Ach ansin...

Teastaíonn uaim dul ...
ABHAILE!

Hmmmm?

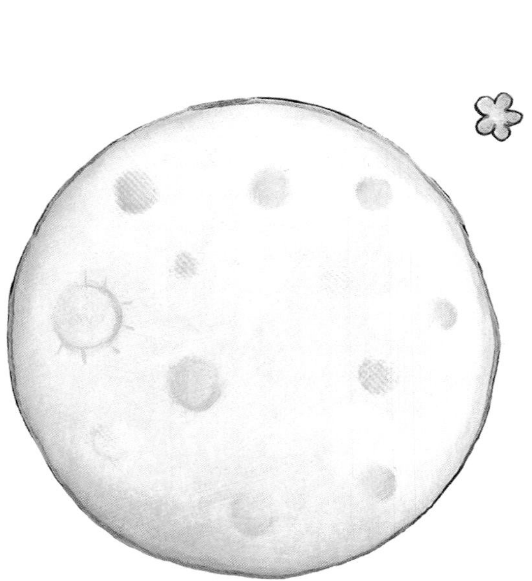

Mar sin,
abhaile leo
go léir.

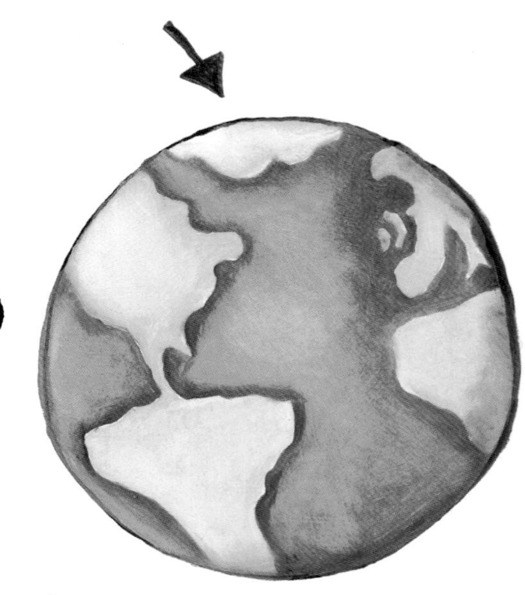

FUÍÍÍÍÍÍÍ!

Slán, a Chóilín!
Slán, a Chormaic!
Slán, a Fheilimí!

Bhí an-spórt acu
ar an mbóthar,
ach bhí Mavis is Marge
ar aon intinn...

Níl aon tinteán ...
mar do thinteán féin!
Scloc!
Scloc!
Scloc!

DIA DUIT!